gente que lee

1

Novela-cómic para
principiantes de español

Autores:
Ernesto Martín Peris
Neus Sans Baulenas

Ilustraciones:
Pere Virgili

Centro de Investigación y Publicaciones de Idiomas
C/ Bruc, nº 21, 1º 2ª - 08010 BARCELONA

Diseño y dirección de arte:
Estudio Viola

Coordinación editorial y redacción:
Olga Juan Lázaro

ISBN: 84-89344-34-5
Depósito legal: B-45012-97

Impreso en España por Torres i Associats, Barcelona.
Este libro está impreso en papel ecológico.

INTRODUCCIÓN

¿Por qué GENTE QUE LEE?

Porque leer es una de las actividades más frecuentes en la vida... y una de las más gratificantes.

Porque leer ayuda a entender. A comprender lo que pasa, a acercarse a la gente, a asimilar lo que uno aprende.

Porque leer, en definitiva, ayuda a aprender.

¿Cómo es GENTE QUE LEE?

Mitad novela, mitad cómic, está pensado para que los alumnos principiantes puedan entender el desarrollo de la acción desde la primera página.

Los temas, las estructuras, las funciones y el vocabulario corresponden a la progresión más habitual de los cursos para principiantes.

¿Cómo trabajar con GENTE QUE LEE?

GENTE QUE LEE ha sido concebido como complemento del curso GENTE 1, o de cualquier otro manual de orientación comunicativa y se ofrece a los estudiantes de español, ante todo, como una lectura para ser disfrutada individualmente. No obstante, también puede ser útil realizar en el aula diferentes actividades en grupo:

- Actividades de prelectura como, por, ejemplo, interpretación de las imágenes, formulación de hipótesis sobre el desarrollo de la acción, etc.

- Intercambio de opiniones sobre lo leído y de reacciones personales ante lo que sucede en el libro.

- Actividades centradas en la comprensión de la acción, dejando para otro momento las tareas relacionadas con la gramática y el vocabulario.

El objetivo primordial de GENTE QUE LEE es desarrollar la lectura y su comprensión. Por eso puede ser recomendable realizar algunas de estas actividades en la lengua de los alumnos.

Los autores

CAPÍTULO 1

ÉSTE ES JAIME.
Y ÉSTOS, SUS AMIGOS: MARTHA, EDUARDO Y UWE.
VAN DE VACACIONES A ESPAÑA.
ADUANA
FRANCE
MOC
6 HORAS DESPUÉS...
MIRA, UN CAMPING.
¿ESO ES UN CAMPING?
SÍ, CREO QUE SÍ... SÍ MIRA...

ES EL CAMPING MEDITERRÁNEO, A 3 KM DE BENISOL.
BENISOL ES UN PUEBLO EN LA COSTA MEDITERRÁNEA, UN TÍPICO PUEBLO TURÍSTICO.
BENISOL
CAMPING MEDITERRÁNEO
EN LA RECEPCIÓN DEL CAMPING...
¿CUÁNTAS PERSONAS? ¿CUÁNTOS SON?
WIE VIEL...?
YO... NO... HABLO ESPAÑOL... SORRY, I DON'T SPEAK SPANISH... JE NE PARLE PAS...
CUATRO, CUATRO PERSONAS Y...
Y UN "CATO".
UN GATO, UN GGGGATO, CON GE...
SÓFOCLES.
¿CÓMO?
EL GATO... EL GATO SE LLAMA SÓFOCLES.

AH, AH, EL GATO... ¿TIENDA, CARAVANA O AUTOCARAVANA?
UNA AUTOCARAVANA Y UNA TIENDA.
¿NOMBRE...?
JAIME STEIN... ESE, TE, E, I, ENE.
¿JAIME?
ANARIAS

SÍ, JAIME, EN ESPAÑOL... SOY ALEMÁN PERO DE ORIGEN ESPAÑOL. MI MADRE ES ESPAÑOLA...

¿SEGUNDO APELLIDO?
NO TENGO.
SÍ, CLARO, CLARO.
¿SU PASAPORTE, POR FAVOR?
SÍ.
GRACIAS. ¿PUEDE RELLENAR ESTA FICHA, POR FAVOR?

NOMBRE: Jaime
APELLIDOS: Stein
NACIONALIDAD: Alemana
EDAD: 29
DIRECCION: 11, Pütrichstrasse, MÚNICH
TELÉFONO: 49 89 3445211
Nº DE PERSONAS: 4
VEHÍCULO: Autocaravana
MATRÍCULA: M-UA-321
ESTANCIA DESDE: 25 de julio HASTA:...
PLAZA: 216

CAPÍTULO

ALBA ES BIÓLOGA, PERO ESTÁ EN EL PARO. AHORA ESTÁ PREPARANDO SU TESIS DOCTORAL Y TRABAJA EN EL CAMPING DE SU TÍO ANTONIO, PARA GANAR ALGO DE DINERO Y AYUDARLE. TIENE 26 AÑOS Y ES SOLTERA. Y, COMO VERÉIS, ES UNA MUJER VALIENTE Y CON MUCHA PERSONALIDAD.

A VER... UN POQUITO DE ALCOHOL...

GLUPS...

ANTONIO GAVIRIA, EL TÍO DE ALBA, TIENE UNOS 65 AÑOS. ES EL PROPIETARIO DEL CAMPING. ES UNA EXCELENTE PERSONA: AYUDA SIEMPRE A TODO EL MUNDO, ES HONRADO Y SINCERO. EN RESUMEN, UNA BUENA PERSONA. POR ESO, QUIZÁ, NO ES MUY BUENO EN LOS NEGOCIOS. ES VIUDO Y VIVE CON ALBA EN UNA CASITA, EN EL MISMO CAMPING. ES MUY AFICIONADO A LA JARDINERÍA. CULTIVA ORQUÍDEAS.

JOSÉ LUIS IBARRA ES EL DIRECTOR. TIENE TREINTA Y CINCO AÑOS, ES SOLTERO Y VIVE EN RENISOL DESDE HACE UN AÑO. TIENE UN MASTER EN HOSTELERÍA, HABLA INGLÉS MUY BIEN, Y VIVE PEGADO A SU TELÉFONO MÓVIL. AH, Y ES MUY AFICIONADO AL DINERO.

LAS RELACIONES DE JOSÉ LUIS CON ALBA NO SON FÁCILES. NO TIENEN NI LAS MISMAS IDEAS NI LOS MISMOS GUSTOS.

TAMBIÉN TRABAJAN EN EL CAMPING TODAS ESTAS PERSONAS...

MANOLO, EL DEL BAR, Y CONCHA, SU MUJER.

ENRIQUETA, QUE TRABAJA EN EL SUPERMERCADO Y SU HIJO, NANI: UNA MUJER FANTÁSTICA.

TERE Y CHUS, LAS PELUQUERAS. SIMPÁTICAS, ALEGRES, Y MUY MODERNAS... COLECCIONAN... AMORES.
¡QUÉ GUAPA ESTÁS!
TÚ TAMBIÉN.
Y PANCHO, "CHAPUZAS" PARA LOS AMIGOS, QUE HACE UN POCO DE TODO. ES FONTANERO, ALBAÑIL, JARDINERO, MECÁNICO, CARPINTERO...
MARIO ES EL COCINERO, ESPECIALISTA EN PAELLAS.
¡QUÉ RICA!
MILAGROS, LA SEÑORA DE LA LIMPIEZA, QUE LO SABE TODO SOBRE LA GENTE DEL CAMPING...
Y ELLA LE DICE A ÉL... BLA, BLA, BLA...
Y "LOS TERRIBLES", RESPONSABLES DE LA MÚSICA Y EL BAILE, LOS SÁBADOS POR LA NOCHE. EMILIO, EL MÁS JOVEN, EL BATERÍA, ESTÁ ENAMORADO DE CHUS, LA PELUQUERA.

Y, NATURALMENTE, TAMBIÉN ESTÁN LOS CLIENTES: LA FAMILIA MARTÍNEZ, POR EJEMPLO, QUE VIENE TODOS LOS VERANOS. SON SIETE: EL PADRE, LA MADRE, CUATRO NIÑOS Y LA ABUELA.
¡VAMOS, MADRE!
GU, GU, GU...

O LOS JENSEN, UNOS DANESES JUBILADOS, QUE VIVEN SEIS MESES EN COPENHAGUE Y SEIS MESES EN BENISOL.
O LA SEÑORA BIBIANA, SU PERRO CHICHI Y EL SEÑOR ÓSCAR, CLIENTES DESDE 1964.
VAMOS A LA PLAYA, ÓSCAR.
¿ESTO QUÉ ES?
HOY HAN LLEGADO CUATRO NUEVOS CLIENTES: JAIME Y SUS AMIGOS.

JAIME ES ARQUITECTO. TIENE 31 AÑOS Y VIVE EN MUNICH. SU MADRE ES ESPAÑOLA PERO VIVE EN ALEMANIA DESDE 1952. EMIGRANTE, COMO MUCHOS ESPAÑOLES. POR ESO JAIME HABLA MUY BIEN ESPAÑOL. MEJOR DICHO, HABLA UN ESPAÑOL PERFECTO.
ES MUY AFICIONADO A LA NATURALEZA Y A LA MÚSICA, AL JAZZ, ESPECIALMENTE. TOCA EL CLARINETE BASTANTE BIEN.
ES SEPARADO Y, ÚLTIMAMENTE, ESTÁ UN POCO DEPRIMIDO. SE SIENTE SOLO. POR ESO ESTÁ AQUÍ, DE VACACIONES, EN LA COSTA ESPAÑOLA, CON TRES AMIGOS: MARTHA, EDUARDO Y UWE.
EDUARDO ES ARGENTINO. TIENE 36 AÑOS Y TAMBIÉN ES ARQUITECTO. ÉL Y JAIME TRABAJAN EN EL MISMO ESTUDIO DE ARQUITECTURA. EDUARDO, EN SU TIEMPO LIBRE ESCRIBE CUENTOS Y CANCIONES, UNOS TEXTOS MUY BUENOS, PIENSA JAIME.
je veux
tu veux
il-elle veu
UWE TRABAJA EN UN PERIÓDICO. ES DIBUJANTE. VIVE SOLO. BUENO, CON SÓFOCLES, SU GATO. ES TRANQUILO, SOCIABLE Y ALEGRE. NO ESTÁ CASADO, PERO QUIERE CASARSE.
CASARSE ES SU PROBLEMA: ENCONTRAR A LA MUJER DE SU VIDA. AHORA QUIERE ENCONTRAR NOVIA EN ESPAÑA. PERO NO HABLA CASI NADA DE ESPAÑOL...
EDUARDO VIVE CON MARTHA, QUE ES HOLANDESA Y PROFESORA DE FRANCÉS, PERO HABLA MUY BIEN ESPAÑOL. MARTHA ES DIVORCIADA Y TIENE UNA HIJA DE TRECE AÑOS, EVA. EVA VIVE CON MARTHA Y EDUARDO, NORMALMENTE, PERO AHORA ESTÁ CON SU PADRE, EN GRECIA.

CAPÍTULO 3

La familia Martínez empieza hoy sus vacaciones en el camping Mediterráneo. Cada año pasan sus vacaciones en Benisol. Ahora están en la recepción, el señor y la señora Martínez, los cuatro niños, Carlitos, Jesusito, Silvia y el bebé, y la abuela, doña Engracia. Hablan con Ibarra, el director.

MARTÍNEZ: No, no, no... Ni hablar... La plaza 54, no. No quiero estar al lado del bar...
DOÑA ENGRACIA: Yo tampoco.
CARLITOS: Yo tampoco.
JESUSITO: Ni yo...
SILVIA: Pues yo sí...
IBARRA: Pues no tenemos nada más, lo siento...
MARTÍNEZ: ¿Cómo? ¿Cómo dice usted? Vengo a este camping todos los veranos, tengo una plaza reservada desde marzo... Y usted quiere darme una plaza entre el bar y los servicios... ¡Muy bien, muy bien...! Quiero hablar con el director...
IBARRA: Yo soy el director. Y no hay más plazas libres. El camping está completo. Lo siento...

A Ibarra le gusta sentirse importante. Le gusta la frase “yo soy el director”.

ALBA: Perdona, José Luis, creo que... bueno, creo que tenemos tres plazas cerca de la playa...
MARTÍNEZ: ¡Quiero una plaza cerca de la playa! Como todos los veranos...
DOÑA ENGRACIA: Sí señor. Bien dicho, hijo mío... Queremos hablar con el director.

La abuela de los Martínez no oye muy bien.

CARLITOS: El director es él, abuela...
IBARRA: ¿Cúantas plazas? ¿Y dónde?
ALBA: La 35, la 29 y la 101...
IBARRA: Bueno, pues, la 35 ó la 29...
JESUSITO: Yo prefiero la 101. Está cerca de la piscina...

Todos los días hay problemas así. Alba cree que Ibarra no trabaja bien y que es antipático con los clientes. A Alba le gusta ser amable con la gente. Pero a su tío Antonio, el propietario del camping, Ibarra le gusta.

El Camping Mediterráneo es un lugar agradable. Está en una playa turística pero bastante tranquila. Hay muchos pinos y el clima es fantástico. De junio a septiembre no llueve casi nada. Al lado del mar tampoco hace demasiado calor. Por suerte, cerca del camping no hay muchas casas. Hay, sobre todo, campos de naranjos, que en primavera se llenan de flores blancas y naranjas.

El pueblo, Benisol, está a 3 kilómetros y la carretera termina en el camping. Al lado del camping hay una zona muy interesante desde el punto de vista ecológico. Es una zona muy húmeda donde paran muchas aves, en sus viajes hacia África y hacia el norte de Europa. En particular, el averoto, un ave protegida.

Es un lugar fantástico y eso es un problema: el camping interesa a mucha gente. Por ejemplo, a Duque, un conocido hombre de negocios de Benisol. Dicen que Duque tiene relaciones con la mafia.

Duque quiere construir en Benisol un centro de vacaciones. Tiene ya 7 hectáreas junto a la playa. Y ahora quiere comprar el Camping Mediterráneo. Pero Antonio, el propietario, no quiere venderlo. Además, el Ayuntamiento de Benisol no quiere más apartamentos en esa zona. Es una región muy importante ecológicamente y con bastantes problemas ambientales.

Naturalmente, Vicente Gil, el alcalde, y Duque, el constructor, no son muy amigos.

Hoy están con Duque en su oficina Jacinto Cano, el arquitecto, y Omedes, su socio. Hablan del nuevo complejo turístico de Benisol y estudian el proyecto.

DUQUE: Aquí las piscinas, el restaurante y la discoteca... Y entre el edificio A y el B, tres pistas de tenis y un minigolf. Aquí el centro comercial...
JACINTO CANO: En total, 415 apartamentos, 35 bungalows... Y el hotel, claro: un hotel de 200 habitaciones.
DUQUE: Pero esos dos estúpidos...
JACINTO CANO: ¿Quiénes?
OMEDES: El propietario del camping, Antonio, y el alcalde... Pero tenemos un buen amigo en el Camping Mediterráneo...
JACINTO CANO: ¿Quién? ¿Ibarra?
DUQUE: Claro, Ibarra, el director. Necesitamos un nuevo director en el hotel, ¿no?

* * *

Mientras, Jaime y sus amigos están en el bar del camping tomando una cerveza y organizando sus vacaciones.

JAIME: Mira, hay un castillo del siglo VIII, aquí cerca, a 5 Km.
EDUARDO: Sí, hay muchas cosas interesantes en esta región. Varias iglesias románicas, castillos, pueblos típicos...
JAIME: Sí, está bien... Playa, montaña, monumentos... Y estamos cerca de Valencia y de Barcelona.
MARTHA: Huy, huy, huy... Yo quiero descansar, tomar el sol, bañarme, leer novelas, escribir postales a los amigos... ¡Unas vacaciones tranquilas!
JAIME: Bueno, a mí la playa no me gusta mucho, ya sabes... Además, ¿no te interesa la historia, la cultura, conocer las costumbres de los españoles...? A ti te gusta mucho la pintura...
MARTHA: Sí, me interesa mucho el arte pero quiero descansar... Tú visitas ciudades, monumentos y museos... Y yo me voy a la playa, a leer novelas. Tengo dos novelas policiacas muy buenas. Por cierto, una es de un autor español, de Vázquez Montalbán.
EDUARDO: A mí también me interesa conocer un poco la región.
JAIME: Bueno, pues tú y yo hacemos alguna excursión...
MARTHA: Por mí no hay problema.
EDUARDO: ¿Tú qué prefieres ver? ¿Barcelona o Valencia?
JAIME: Pues no sé... ¿Y a ti? ¿Qué te interesa visitar?
EDUARDO: Yo prefiero ir a Valencia. Está más cerca, ¿no? Barcelona está un poco lejos...

En ese momento, Alba, la recepcionista, pasa al lado de los nuevos clientes y les da más información.

ALBA: Sí, Barcelona está un poquito más lejos. Unas dos horas en coche. Pero las dos ciudades son muy interesantes... En Barcelona: Picasso, Miró, Gaudí, buenos conciertos, ahora en verano... Y en Valencia hay muchas cosas para visitar también: un museo de arte contemporáneo importante, edificios góticos y palacios renacentistas... Un mercado modernista... ¡Y mucho ambiente por la noche!
JAIME: Gracias por la información.
ALBA: De nada. Bueno, adiós, que tengo mucho trabajo.

Alba vuelve a la recepción y Jaime y sus amigos siguen haciendo planes.

JAIME: ¿No te interesa ver la obra de Gaudí?
EDUARDO: Sí, claro.
MARTHA: Yo, mañana, me voy a la playa.
EDUARDO: Tranquila... Mañana no vamos a salir del camping. Todos estamos cansados del viaje. Yo, por ejemplo, ahora me voy dormir una siesta.
JAIME: Mañana hay un concierto de "Los Terribles".
MARTHA: ¿Qué?
JAIME: Sí, hay un concierto, aquí en el camping, aquí en el bar. Mira...

* * *

A Jaime, en realidad, no le gustan este tipo de vacaciones. Él prefiere conocer otras culturas, viajar a grandes ciudades: Nueva York, Sidney, Hong Kong... Pero este verano no quería estar solo. Ha preferido estar con sus mejores amigos, Eduardo, Martha y Uwe, y hacer unas típicas vacaciones en la costa mediterránea: tomar el sol, comer mucho, dormir...

Por la tarde, va un rato solo a la playa. Pasea un poco y se sienta en la arena. Empieza a tener dudas: ¿ha sido una buena idea aceptar el plan de sus amigos?

"¿Qué hago yo aquí? No me gusta el verano, ni la playa, ni los sitios turísticos... No me gusta bañarme y aquí hace calor... ¡Me pican los mosquitos y me quemo si tomo el sol! ¡Buffff...!", piensa Jaime. "Y voy a pasar 20 días en este camping... ¡Qué vacaciones! ¡Qué horror!"

También Alba va a la playa por la tarde. A las ocho cada día tiene una hora libre y, de ocho a nueve, corre por la playa. Hoy corre cerca de donde está Jaime. Él la ve pasar. La llama y piensa: "¡Ufff! Una mujer muy interesante... ¡Pero muy aficionada al deporte!". Pero ella no le oye y sigue corriendo.

CAPÍTULO 4

Jaime y sus amigos están organizando su vida en el camping. Tienen que ir de compras.

JAIME: ¿Vamos al supermercado del camping o al pueblo?
MARTHA: El supermercado del camping está bien... Necesitamos pilas para la radio, papel higiénico, detergente para la vajilla y para la ropa, agua mineral, pan...
UWE: Y... ¡cerveza!

Uwe ya sabe muchas palabras en español: "hola", "perdón", "buenos días", "cerveza", "sangría" y, naturalmente, "gato".

EDUARDO: ¿Vamos de compras tú y yo, Jaime?
JAIME: Vale. Yo también necesito varias cosas. ¿Tiene comida Sófocles?
MARTHA: No, no mucha... ¿Compráis una bolsa?
EDUARDO: Sí.
MARTHA: ¿Hay un quiosco en el camping?
JAIME: No sé. ¿Por qué?
MARTHA: A ver si puedes comprar un periódico holandés.
EDUARDO: Creo que en el supermercado venden periódicos.
MARTHA: Si no, en el pueblo...
EDUARDO: Y creo que Uwe necesita un nuevo diccionario.
JAIME: Sí, ja, ja, ja...

* * *

Jaime y Eduardo van al supermercado del camping. Jaime quiere comprarse un bañador. Va a la sección de artículos de playa y coge uno rojo, verde y amarillo, con palmeras y flores.

JAIME: Eduardo, ¿te gusta este bañador?
EDUARDO: ¿Para ti? Ja,ja,ja... No, no me gusta nada. Tú necesitas uno más serio.
JAIME: ¿Y éste otro?
EDUARDO: Éste es demasiado clásico.

Jaime quiere estar guapo esta tarde en la playa. Por eso se compra un nuevo bañador. Quizá Alba, esa mujer tan interesante que trabaja en el camping, va a correr. Él todavía tiene su cinta del pelo. Hoy quizá pueda dársela y hablar un poco con ella. Finalmente, Jaime y Eduardo compran varias cosas. Entre ellas, el bañador de palmeras. Van a la caja a pagar.

JAIME: ¿Tienen películas de fotos?
CAJERA: Kikocolor, ¿le va bien?
JAIME: Sí, de 36 fotos, por favor...
CAJERA: Aquí tiene.
JAIME: Pues yo me llevo este bañador. A mí me gusta... ¿Cúanto vale?
CAJERA: A ver... 2.300 pesetas.
JAIME: Vale, me lo quedo.

* * *

Al cabo de un rato, los dos amigos vuelven con las bolsas del supermercado a la autocaravana. Uwe señala la bolsa de la comida de gato y pregunta...

UWE: ¿Comida de... perro?
EDUARDO: De gato, ga-to. Sófocles es un gaaa-to...
JAIME: ¿Ves? Necesita un nuevo diccionario... ¡No se lo hemos comprado...!
MARTHA: No. Uwe ha dicho "perro", "pe-rro". Y quiere decir "perro". Tiene un nuevo amigo.

Y es verdad: Uwe ha encontrado un perro abandonado.

EDUARDO: ¡Dios mío! Lo que faltaba... ¿Cómo se llama? ¿Eurípides?
MARTHA: No... Sócrates.
UWE: Bonito, ¿no? Y es muy bueno...

* * *

En otro lugar, no muy lejos, también hablan de compras, de otro tipo de compras: en la oficina de Duque. Duque y sus socios hablan de la "operación Camping Mediterráneo".

-Entonces, tú quieres comprarle el camping a Gaviria... -dice Cano, el arquitecto.

-Sí, claro. Pero él no lo quiere vender -responde Duque-. Necesito esos terrenos. Mirad este plano. Yo tengo 7 hectáreas. Pero para construir este complejo turístico, se necesitan unas 11 ó 12. Si no, no es económicamente interesante.

-¿Cuánto valen los terrenos? -pregunta Cano.

-¿Los de Gaviria? Cien millones, ciento diez... -dice Duque-. Depende...

-¡Cien kilos*...! No está mal... ¿Y no quiere venderlos? ¿No quiere cien millones de pesetas? ¿Prefiere su camping?

-Sí, es un romántico, un viejo loco... -explica Omedes.

-¿Y qué podemos hacer? -pregunta Cano, el arquitecto.

-Tranquilos... Yo tengo mis "métodos"... -explica Duque.

-También tenemos otro problema: Vicente Gil, el alcalde... -dice Omedes.

-No hay problema... Le hacemos un regalo. Un buen regalo y ya está.

-¿Tú crees? -pregunta Omedes-. Es un hombre muy serio, muy recto. ¡Ecologista...!

-¿Ecologista? ¿Y qué? Todo el mundo tiene un precio, ¿no? -dice Duque.

Duque no tiene una idea muy buena de la humanidad. Piensa que todo el mundo es como él.

-Le podemos pagar, por ejemplo, su próxima campaña electoral -explica el constructor a sus socios-. Hay elecciones en octubre, ¿no?

* * *

-Los que trabajan en el camping también están organizando compras. Mañana, 28 de julio, es el cumpleaños de Alba (¡27 años!) y quieren regalarle algo.

_¿Qué le compramos? -pregunta Chus.

-¿Unas flores? ¿Un libro? -dice Pancho.

-No es muy original... -opina Tere.

-No, nada original... ¡Un disco! -dice Mario.

* *En argot, un kilo es un millón de pesetas.*

-Siempre le compramos música -contesta Enriqueta.

Chus tiene una idea.

-¡Ya lo sé! Enriqueta, en la tienda tienes un bañador muy bonito, uno rojo, con palmeras verdes...

-Sí, lo tengo para hombre y para mujer. Acabo de vender uno... Es muy bonito, precioso...

-Pues a Alba le gusta, me lo ha dicho. Quería comprárselo...

-Pues es una buena idea, un bañador. Es un regalo original. ¿Sabemos su talla? -pregunta Tere.

-Es talla única -explica Enriqueta.

-Ah, perfecto. ¿Y cuánto cuesta? -dice Mario.

-Unas cuatro mil, creo. No es caro. Unas 500 pesetas cada uno...

-Pues, le compramos el bañador ese -decide "Chapuzas"-. ¿Y para la fiesta? ¿Qué hacemos? ¿Cómo lo organizamos?

Los compañeros del camping le organizan a Alba una pequeña fiesta de cumpleaños, para después del concierto de "Los Terribles". Es una sorpresa. Alba no sabe nada. Pero no están todos los compañeros. Ibarra, no está.

-Yo puedo hacer unas pizzas... -dice Mario, el cocinero.

-Y yo hago un pastel... -añade Enriqueta, la de la tienda-. Un pastel de limón, que a ella le gusta mucho.

-Y yo le hago un dibujo -dice Nani, el hijo de Enriqueta.

-En el bar tenemos las bebidas. ¿Cava y cerveza? -dice Manolo.

-Sí, y zumos... -añade Concha.

-Pero el regalo se lo damos antes, ¿no? -comenta Tere.

-Sí, por la mañana.

* * *

Por la tarde, Jaime, con su fantástico bañador nuevo, un libro y la cinta del pelo de Alba, va a la playa. Pero hoy Alba tiene mucho trabajo en la recepción y no va a correr. Además, su tío Antonio está muy preocupado. Tiene problemas. Problemas con Duque. Y necesita hablar con Alba. En su hora libre, Alba va a casa de su tío para hablar un rato con él.

Antonio, le da a su sobrina, sin decir nada, una hoja de papel.

-Mira esto -dice.

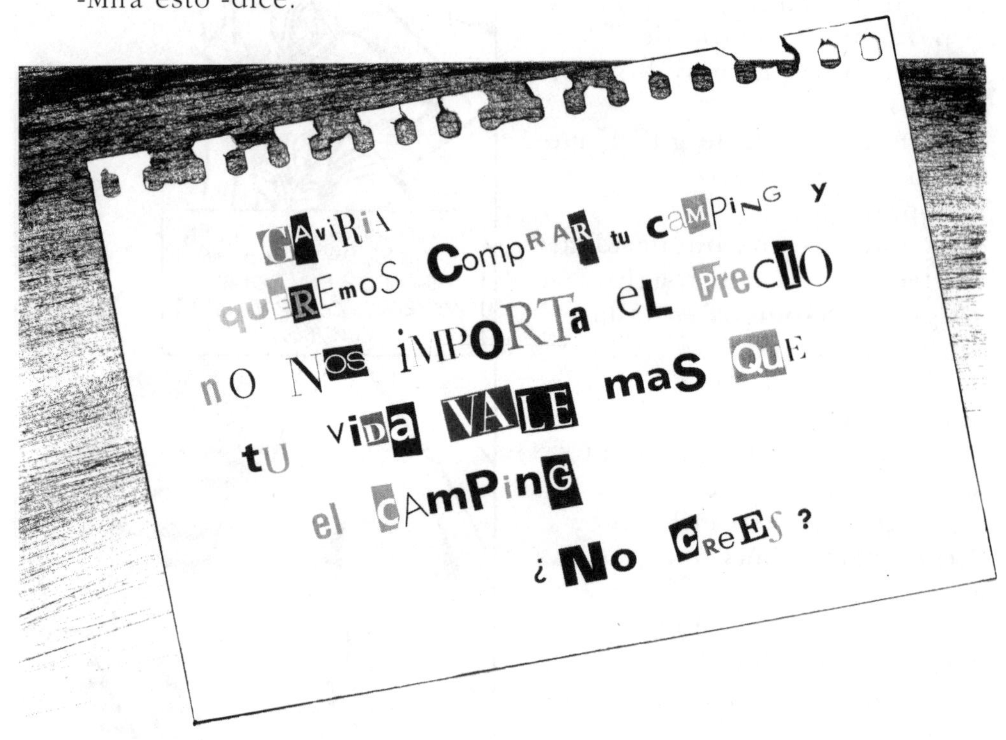
GAviRiA
quEREmoS CompRAR tu cAMPiNG y
nO NOS iMPORTa eL PreCIO
tU ViDA VALE maS QUE
el CAmPinG
¿No CreES?

-Dios mío..., ¿qué es esto? -pregunta Alba-. ¿Es de Duque?

-Naturalmente.

-Es muy grave. Gravísimo... ¡Es una amenaza de muerte!

-Sí, sí lo es. Duque es peligroso. Pero yo no quiero vender el camping. ¡No voy a venderlo! No necesito dinero, soy feliz aquí... Y me gusta Benisol tal como es. No quiero ver estas playas con edificios de quince pisos, como Benidorm o Torremolinos. Yo no le regalo el camping a Duque ni a nadie... ¡No, ni hablar...!

-¿Qué podemos hacer? ¿Hablar con la policía?

-No... No tenemos pruebas, no tenemos nada. ¿Esta carta? Bah... Un papel, sin firma... Además, Duque tiene mucho poder. Sólo podemos hacer una cosa: resistir.

-No sé, no sé... Tenemos que hacer algo.

Alba sabe que tiene que actuar, que tiene que ayudar a su tío. Pero no sabe cómo. ¿Quién puede ayudarla?

CAPÍTULO 5

En el Camping Mediterráneo se organizan muchas cosas: conciertos, fiestas, actividades deportivas..., o por ejemplo, aeróbic. Un profesor da una hora de clase todos los días a los clientes del camping. Uwe, el amigo de Eduardo, quiere hacer deporte este verano.

-Eso no es bueno para la salud. Hace demasiado calor... No es bueno para el corazón... -le dice Eduardo a Jaime. Los dos están en el bar y miran como salta su compañero Uwe.

-Es que a ti no te gusta el deporte... Uwe quiere adelgazar -responde Jaime.

-Claro, quiere estar guapo y encontrar novia...

-Pues yo también quiero hacer un poco de deporte estas vacaciones -comenta Jaime.

-¿Tú? ¿Deporte? ¿Qué deporte? Si tú nunca haces deporte...

-Quiero correr, correr un poco por la playa y nadar. Quiero estar en forma... No estoy muy bien.

-Pero si no estás gordo... ¿O es que quieres encontrar novia también tú? Últimamente haces cosas raras, Jaime... Te compras bañadores "tropicales", quieres "estar en forma"... No sé, no sé... A ti te pasa algo... -dice Eduardo extrañado.

-¿A mí? No... Bueno, un poco de estrés, quizá. Y, ya sabes, no llevo una vida muy sana. Cuando vives solo... No tienes horarios regulares, no comes de forma sana... Una pizza, un bocadillo o un yogur de pie en la cocina, sin ni siquiera sentarte.

-Para llevar una vida sana, también es importante otra cosa...

-¿Qué?

-¡El amor, Jaime! ¡El amor...! El equilibrio anímico. La soledad no es buena.

- Sí, ya sé. Pero no es tan fácil encontrar pareja. Cambiando de tema, ¿jugamos un poco al tenis esta tarde? Hay una pista, aquí en el camping.

- Bueno. Pero a las 7h ó a las 8h. Antes hace mucho calor...

- A las 7h, mejor. A las 8h tengo que ver a una persona.

- Aha... ¿Ya tienes amigos en el camping?

* * *

Por la tarde Jaime, después de jugar al tenis con Eduardo, va a la playa.

Allí están muchos de los clientes del camping: la señora Bibiana y su marido, que dan todas las tardes un paseo por la playa. El médico dice que tienen que andar mucho, que andar es muy sano.

También están los Jensen, la pareja de jubilados daneses. A ella le gusta pescar y todos los días pesca alguna cosa. Su marido, mientras, lee tranquilamente libros de antropología.

La familia Martínez también va a la playa por las tardes. Los niños juegan, y el señor Martínez echa una larga siesta. Martínez es camionero. Se pasa la vida en atascos y trabaja demasiadas horas. En el camping es totalmente feliz: duerme mucho, come mucho y está con su familia. La señora Martínez también descansa. En la playa lee revistas con historias de princesas: los problemas de Carolina y Estefanía de Mónaco o de Julio Iglesias. Ella dice que sólo en la playa puede descansar un poco. Una ama de casa española, con una familia de siete personas, no tiene una vida muy tranquila. "Nunca se habla del estrés del ama de casa", protesta ella.

"Pero yo, por ejemplo, todos los días lavo unos catorce calcetines, pongo la mesa tres veces, hago seis camas, limpio dos cuartos de baño, compro un kilo y medio de pan... Soy chófer, profesora, cocinera, economista, señora de la limpieza, camarera, secretaria... O sea, ama de casa".

Jaime se instala tranquilamente en la playa con su nuevo bañador. Nada un poco, lee un poco el periódico...

Al poco rato, como todos los días, Alba aparece en la playa corriendo. Jaime la ve a lo lejos y la llama... Ya sabe cómo se llama: Alba... ¡Qué bonito nombre! Quiere devolverle su cinta y hablar un poco con ella. "Es realmente una mujer interesante", piensa.

Jaime y Alba llevan el mismo bañador: con muchos colores y palmeras. Los dos bañadores son de la tienda del camping. Jaime se pone rojo. La situación es un poco ridícula, pero divertida.

-Bonito bañador -dice Alba irónica.

-Sí, muy original... -responde él.

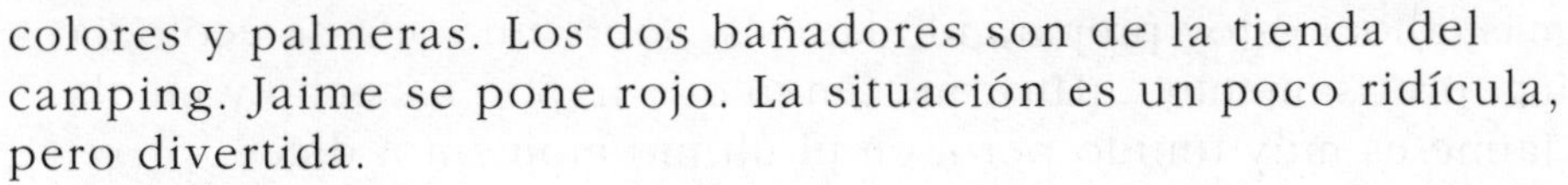

-El mío es un regalo de los compañeros del camping. ¡Hoy es mi cumpleaños!

-¡Felicidades! ¿Cuántos?

-27.

-Mira tengo esto... Es tuyo, ¿no? -Jaime le da su cinta.

-Oh, gracias...

Los dos hablan un poco y Alba se sienta un rato en la arena, al lado de su nuevo amigo.

-¿Haces mucho deporte? -pregunta Eduardo.

-No, no mucho... Un poco, por las tardes. No tengo mucho tiempo.

-¿Trabajas muchas horas en el camping?

-¿Muchas? Bufff... Todos los días, unas doce o trece horas. Somos pocos en el camping y tenemos que trabajar duro. ¿Y tú? ¿A qué te dedicas?

-Yo soy arquitecto.

-¿Arquitecto? Mala gente -dice Alba.

-¿Mala gente? ¿Por qué somos mala gente los arquitectos?

-Bueno, no todos. Nosotros, aquí en el camping, tenemos problemas con un arquitecto. Y especialmente con un constructor y su arquitecto.

-Ah, sí... ¿Qué problemas?

Alba necesita hablar, necesita explicar a alguien el problema de su tío. Y Jaime la escucha.

-Un constructor de Benisol, Duque se llama, quiere comprar el camping. Es un hombre con mucho poder. Peligroso. Quiere construir, especular... Como siempre pasa en la costa española. Ya sabes: Benidorm, Torremolinos, Marbella, Baleares...

-Sí, edificios y más edificios...

-Mi tío es el propietario del camping -explica Alba.

-Ah, no sabía...

-Y no quiere venderlo. Le gusta vivir aquí: el camping es su vida. Además, no quiere ver Benisol destruido. Esta zona tiene mucho valor ecológico. Hay un parque natural, ¿sabes?

-Ah... ¿sí?

-Sí, aquí cerca hay marismas, una zona muy húmeda, donde paran muchas aves que vienen de África a Europa.

-¡Qué interesante!

-En concreto hay una especie protegida, el averoto... Y si encima construyen un complejo turístico...

-¿Te interesan estos temas?

-Mucho. Soy bióloga.

-¿Bióloga?

-Sí, pero es muy difícil encontrar trabajo. En verano trabajo aquí. Además, ahora estoy preparando la tesis. Sobre un tema de ecología marina, precisamente... ¡Huy, me tengo que ir! Son las ocho y media...

Jaime es muy tímido pero, en el último momento, dice:

-¡Qué pena...! Todo esto es muy interesante. Los turistas, a veces, no sabemos mucho sobre el país donde estamos y sus problemas...

¿Tomamos una copa luego?

Alba duda un poco (¡trabaja tantas horas!). Pero acepta: es importante sentirse bien con una persona. Y con este hombre se siente bien. Últimamente se siente sola. Necesita hablar.

-A las 11h hay un concierto... -dice Alba.

-¿Donde?

-En el bar.

-¿Nos vemos allí? -propone Jaime.

"Es verdaderamente una mujer atractiva", piensa cuando se queda solo. "¡Y qué ojos!", suspira.

* * *

Cuando Jaime llega a la autocaravana, sus amigos le dicen:

-Te sienta bien hacer deporte... Tienes buena cara.

-Sí, es verdad. ¡Estás guapo! -añade Martha.

Es normal. Para estar guapo, hay que estar contento. Y hoy, Jaime está contento. ¡Tiene una cita con Alba!

Uwe, por su parte, sigue estudiando español.

-A-del-ga-tsar...

-A-del-ga-zzzzar...

-Ya... Adelgazar. Quiero adelgazar... -repite Uwe.

-¡Creo que le gusta una compañera de la clase de aeróbic! -dice Martha muerta de risa.

-Sí... Y la peluquera.

-Ah, ¿sí? ¿También?

-También. Me lo ha dicho.

CAPÍTULO 6

Por la noche todos van al concierto: los clientes y los empleados del camping.

A las 12h, Mario, el cocinero, saca un pastel y todos cantan "Cumpleaños feliz".

Es una fiesta muy divertida: españoles y extranjeros bailan hasta las 4h. Alba le enseña a Jaime a bailar el "pasodoble", Uwe practica su español con Chus, la peluquera, y Eduardo se hace amigo del señor Martínez.

"No todo son problemas", piensa Alba, cuando se va a la cama. "Hay gente estupenda en el camping".

Algunos, sin embargo, no han ido a la fiesta: la señora Bibiana y su marido han ido a recepción a protestar por el ruido. Pero en recepción hoy no hay nadie. Ibarra, el director, tampoco está en la fiesta de Alba.

Al día siguiente, Ibarra entra en la oficina con una chica. Parece una "Barbie": rubia, alta y delgada, con ropa cara...

-Parece que ayer hubo problemas... -le dice Ibarra a Alba.

-¿Problemas?

-Sí, una señora, la del perrito..., ¿cómo se llama?

-La señora Bibiana.

-Eso. Ha venido a protestar por el ruido.

Sin esperar la respuesta de Alba, Ibarra le da la espalda y entra en su despacho con la chica.

-Lo odio -dice Alba entre dientes.

-¿Quién es? -pregunta Milagros, que está limpiando la recepción. Milagros siempre quiere saber todo lo que pasa en el camping.

-No sé, ni idea -responde Alba-. Milagros, ¿puedes quedarte aquí, en la recepción, un momento? Yo voy a casa. Tres minutos... ¡Voy a buscar una aspirina! Tomé demasiado cava en mi fiesta... Si viene algún cliente, que espere.

-Tranquila, yo tengo que limpiar todo esto.

Dentro, Ibarra, el director, esta haciendo una entrevista de trabajo a la chica.

-Así que te llamas Laly...

-Eulalia Omedes, sí.

-Y quieres trabajar en el sector del turismo.

-He estudiado tres años en la Escuela de Turismo y me gustaría...

-Ah, muy bien, muy bien. ¿Idiomas?

-Inglés... Regular. Y el francés, lo leo.

-¿Alemán?

-No, alemán no. Lo entiendo un poco... Pero hablar, no, francamente, no.

-¿Tienes experiencia?

-He trabajado en la empresa de mi padre un verano, de secretaria y... Bueno, nada más. En un camping no he trabajado nunca...

-No importa, no importa. Aquí necesitamos alguien como tú, joven, con ganas de trabajar, con buena presencia... Para la recepción. Tienes que hacer un poco de administración, también. ¿Qué tal de informática? ¿Sabes manejar un ordenador?

-Un poco.

-Tu padre me ha dicho que eres muy trabajadora. Y muy inteligente. Ya sabes que tu padre y yo somos buenos amigos...

Naturalmente, Eulalia Omedes es la hija de Omedes, el socio de Duque, el constructor. Ibarra quiere tener buenas relaciones con Omedes. Y Omedes quiere información sobre el camping. Laly de recepcionista en el Camping Mediterráneo les va muy bien a los dos, aunque no sabe nada del camping y no habla idiomas.

"Esto es una mujer", piensa Ibarra. "Y no ésa...".

"Ésa" es Alba. Ibarra es un auténtico "macho hispánico". Para él las mujeres tienen que ser elegantes, dulces y tontas. Y hablar poco. Alba, lógicamente, no es su modelo de mujer.

Ibarra le dice después a Eulalia:

-Además, no es para mucho tiempo... Este verano, solamente. Ya sabes que tu papá y Duque construyen un complejo turístico aquí...

Omedes le ha prometido a Ibarra el cargo de director del complejo. Pero Ibarra tiene que ayudarle en una cosa: hundir el Camping Mediterráneo y obligar a Gaviria a venderlo. Son los famosos "métodos" de Duque.

Fuera de la oficina, Milagros escucha toda la conversación. "¿Quéeeeeee? ¿Que cierran el camping?". Milagros no puede creer lo que oye.

Alba entra en la recepción con una caja de aspirinas en la mano. Ve que Milagros tiene una expresión muy rara.

-¿Ha venido algún cliente? -le pregunta-. ¿Te pasa algo, Milagros?

-No, nada, nada... Alba..., ¿te puedo preguntar una cosa?

-Sí, claro. ¿Qué?

-Oye, ¿tú te vas? ¿Has encontrado otro trabajo?

-No, ¿por qué?

-No, por nada...

-Milagros, que te conozco. ¿Por qué me preguntas eso?

Milagros no puede tener secretos y Alba lo sabe.

-Es que... Bueno que... Ibarra ha contratado a una nueva recepcionista.

-¿Quéeeee?

-Sí, esa chica que ha venido.

-¿La "Barbie"? -pregunta Alba.

-No, no se llama Barbi. Se llama Eulalia y es la hija de un constructor de Benisol, de un tal Omedes.

-¿La hija de Omedes...? ¡Es el socio de Duque! Gracias, Milagros, gracias por la información... Es una información muy importante para mí.

Alba sale corriendo. Va en busca de su tío.

Antonio Gaviria no sabe nada de Eulalia Omedes. Ibarra no le ha hablado del tema.

-Tranquila, Alba. Tenemos mucho trabajo. José Luis sabe muy bien lo que hace. Y él es el director...

-Tío, no entienes nada... Esta chica es la hija de Omedes. ¡Es una espía de Duque!

-Niña... Eso son fantasmas...

-¿Fantasmas? Sí, sí... fantasmas.

CAPÍTULO 7

-¿Qué comemos hoy? -pregunta Martha.

-Espaguetis -responde Jaime.

-¿Otra vez?

-Sí, pero hoy con verduras... La pasta es muy sana.

-Sí, pero engorda.

-No, la pasta no engorda. Engordan las salsas... Y hoy voy a hacer pasta vegetariana; con berenjenas, pimientos, calabacines, tomates, ajo, cebolla, aceitunas... Una receta "mediterránea"... -explica Jaime.

-Mmmmmm.... qué rico -dice Uwe. "Qué rico" es la nueva frase en español de Uwe. Se la ha enseñado Chus, la peluquera.

-¡No, no, no, no...! ¡Hoy no cocinamos! -dice Eduardo.

-¿Por qué?

-Porque mi amigo, Pepe Martínez, nos ha invitado a comer una paella.

-¿El vecino? -pregunta Jaime.

-Sí, el de esa tienda. Son muy simpáticos.

-Nos han invitado a comer... ¿qué? -pregunta Martha.

-Paella. ¿No has comido nunca paella? El plato más típico de la cocina española. Es un plato valenciano pero se come en toda España. Una paella bien hecha es... es... ¡Una obra de arte!

-Sí, lo sé. Pero yo no he comido nunca una buena paella -explica Martha.

-Yo tampoco. ¿Qué es exactamente "una paella bien hecha"? -pregunta Eduardo.

-Es arroz con... Bueno, con muchas cosas. Depende. Hay muchas recetas diferentes. Es un plato muy complicado. Un plato "barroco", como dice Manuel Vicent, que es un escritor valenciano. Hay paella de pescado, paella de carne, paella de caracoles...

-¿De qué? -pregunta Martha horrorizada.

-De caracoles. Está riquísima. La mejor. ¡Mi madre hace unas paellas de caracoles...! -explica Jaime entusiasmado.

-Pues yo no voy -dice Martha-. Si lleva caracoles, yo no voy. Bufff... Qué asco...

-Hay paellas muy especiales: arroz negro, que lleva tinta de sepia, arroz con ancas de rana, arroz con rata de agua, arroz con ardillas... Hay cientos de recetas. En el Levante español hay arroces con todo, para todos los gustos -sigue explicando Jaime.

-Ay, qué horror... Calla, calla...

-Tú, tranquila: Martínez hace paella mixta, una versión "ligth", para turistas. Sólo lleva marisco, carne y verduras. Y arroz, claro.

-¿Seguro? -pregunta Martha todavía preocupada.

-Sí, seguro.

-¿Y la hace él?

-Sí, las paellas, muchas veces, las hacen los hombres.

-Ah, qué bien -dice Martha. La paella ya le parece mejor.

En ese momento pasa Martínez que ha ido a Benisol a comprar al mercado. Trae una cesta con los ingredientes de la paella. Y los enseña a sus nuevos amigos extranjeros:

-Calamares, mejillones, almejas, gambas y cigalas... Y el pescado, para el caldo.

-¿Qué caldo? -pregunta Eduardo-. Yo quiero aprender a hacer paella.

-Pues lo primero: para hacer una buena paella, se hace un caldo de pescado... -explica Martínez.

-Yo pensaba que se hacía con agua... -dice Eduardo.

-No, el arroz se cuece en el caldo. El tiempo de cocción y la cantidad de caldo es lo más importante. Si pones demasiado caldo, no sale bien.

Benisol está en una región donde se hacen muchas paellas. En el Camping Mediterráneo, Mario, el cocinero, las hace muy

buenas. Él dice que es "el rey de la paella". Hoy en el restaurante del camping también tienen paella, la especialidad de Mario: paella de pollo, conejo y "garrofons", unas judías blancas especiales.

-Yo no hago paellas para turistas -comenta Mario con desprecio-. Yo soy valenciano y hago paella de verdad. Un madrileño como Martínez no sabe nada de paellas...

Martínez todos los veranos, desde hace años, habla diez días de su "famosa" paella.

-A mí, la de Mario, no me gusta. Lo siento -dice Martínez muy serio.

Mario critica todos los veranos "las paellas de los turistas" del Sr. Martínez.

* * *

A las 2h Jaime y sus amigos están en la tienda de los Martínez. Pero la paella no está preparada todavía.

-La paella es un plato "colectivo", "social"... -explica Jaime a sus amigos-. Siempre hay que esperar, siempre se come tarde y con mucha hambre.

-¿Te gusta la paella, guapa? -pregunta la abuela de los Martínez a Martha.

-Mmmm... Bueno, no sé... -duda Martha.

La abuela no lo entiende.

-¿Cómo? ¿Cómo que no sabes? Te gusta o no te gusta...

-Es que no he comido nunca... Quiero decir aquí, en España, una paella de verdad.

La pobre abuela está muy sorprendida. No entiende que

haya gente en el mundo que no ha comido nunca paella.

-¿Nunca, nunca...? -pregunta otra vez incrédula.

La señora Martínez, Maruja, corta cebollas, pela ajos, ralla tomate...

-¡Bah! Los hombres dicen que ellos hacen la paella pero... -le explica a Martha-. Ellos echan el agua y el arroz. ¡Y luego dicen que la han hecho ellos...!

-Como siempre...

-Cocinar es muy fácil, si alguien te lo prepara todo -añade Maruja Martínez-. Además, luego lo dejan todo sucio por ahí...

Martínez le explica a Eduardo lo que hace.

-¿Ves? Primero echamos los calamares, la sepia, el pollo y el pimiento en el aceite caliente... Aceite de oliva, por supuesto.

-¿Y el tomate?

-No, todavía no. El tomate, luego.

-¿Y las gambas?

-Después, después. Casi al final.

-¿Y cebollas?

-No, yo no pongo cebolla. Hay gente que pone cebolla, pero yo no.

El sofrito huele ya muy bien. Todos tienen un hambre terrible.

Los niños Martínez ponen la mesa y toman el aperitivo: patatas, aceitunas, almendras, chorizo...

-¿Cerveza o vino? -pregunta Maruja a sus invitados.

-Tenéis que probar este vino -dice Martínez a sus nuevos amigos-. Es de nuestro pueblo. Lo hacemos nosotros mismos.

Los Martínez son de un pequeño pueblo de la provincia de Toledo, al sur de Madrid. Tienen todavía la casa de los abuelos, pero viven y trabajan en Madrid.

-La vida en el pueblo es muy dura -explica Martínez a Jaime-. Ya sabes... Tus padres se fueron a Alemania y nosotros, a Madrid. Allí no hay trabajo para todos...

Los fines de semana, la familia Martínez, como muchas familias de origen rural, va al pueblo. Allí conservan las tradiciones: hacen vino, matan el cerdo y hacen embutidos, tienen un huerto y árboles frutales...

-¡Qué vino tan bueno! -dice Eduardo.

-Fuerte pero muy bueno -añade Jaime.

-Es que es natural -dice la abuela-. No como el del supermercado, que tiene "mucha química".

La abuela Martínez dice que en Madrid todo tiene "mucha química".

-¿Está bueno el chorizo, hijo? -le pregunta la abuela a Uwe.

-Bueno, muy bueno -contesta Uwe en español.

Con la familia Martínez se aprende mucho español, porque todos hablan mucho. El problema es que, a veces, hablan todos al mismo tiempo.

A las 3h la paella está casi lista. Pero en ese momento pasa algo terrible.

-Todos a la mesa -dice Martínez orgulloso de su obra.

Ya están todos muertos de hambre.

Chichi, el perro de la señora Bibiana, persigue a Sófocles, el gato de Uwe. Y Sócrates, el nuevo amigo de Uwe, persigue a Chichi. Detrás van Uwe y la señora Bibiana, gritando.

Y sucede lo inevitable. ¡Adiós paella!

Entre todos tumban la paella.

Media hora después están todos en el restaurante del camping. Martínez repite una y otra vez:

-¡La mejor del verano! ¡No! ¡La mejor que he hecho en años...!

Mario, el cocinero, lee la carta.

-Hoy tenemos en el menú del día... Paella, la especialidad de la casa -explica.

Esta vez Mario ha ganado el concurso de paellas del verano.

CAPÍTULO 8

Poco a poco Jaime y Alba se han hecho amigos. Ahora están tomando una cerveza en una terraza en la playa.

Jaime le ha explicado la historia de la paella de Martínez.

-¡Pobre Martínez...! Me lo imagino... -comenta ella muerta de la risa.

Luego Alba se queda callada y seria.

-¿Y tú? ¿Qué tal vas? -le pregunta Jaime.

-Mal, bastante mal...

-¿Por qué?

-No sé: la tesis... Trabajo todas las noches hasta las 2h. Luego me levanto a las 7h. Los problemas del camping, mis relaciones con el jefe, el director. Ibarra, se llama. Es un imbécil. Además, creo que él... -Alba se calla.

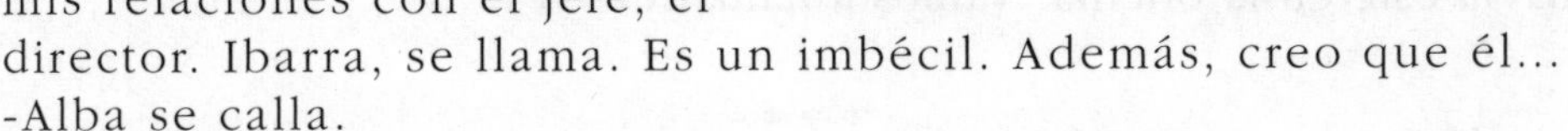

-¿Que él qué...?

-No sé, no tengo pruebas, pero creo que está del lado de Duque, ya sabes, del constructor.

-¿Tú crees? ¡Pero si Ibarra es el director del camping...!

-Sí, pero... ¿Sabes? Últimamente ha hecho cosas raras. Tiene algún secreto... Y ha contratado una nueva recepcionista.

-¿Y tú?

-No sé. Quiere echarme, supongo. ¿Y sabes quién es la nueva recepcionista?

-No, ¿quién?

-Pues la sobrina de un tal Omedes, un socio de Duque. Va a empezar a trabajar mañana -le explica Alba.

-Qué raro... ¿Y qué dice tu tío?

-¡Ay, mi tío! ¡Es tan buena persona! Dice que yo veo fantasmas, que Ibarra es un muy buen director... No sé qué hacer.

-Tengo una idea -dice Jaime.

-¿Qué idea?

-Tengo un amigo en Madrid, Fernando Valcárcel. Es periodista y le interesan mucho los problemas ecológicos. Además, últimamente, ha hecho periodismo de investigación. Trabaja en la revista *"Entrevista"*. ¿La conoces?

-Sí, claro.

-Quizá puede venir, investigar y escribir algo en su revista. Seguro que el problema de Benisol le interesa.

-Es una idea genial... Pero, ¿crees que va a venir?

-Sí, creo que sí. Si puede, seguro que viene. ¿Qué hora es? Quizá todavía esté en la oficina. Vamos a llamarle.

* * *

Son las 9h y Jaime llama a Fernando. Pero su amigo no está ni en la oficina ni en casa. En casa tiene el contestador y Jaime deja un mensaje: "Fernando, soy Jaime Stein. Estoy de vacaciones en España. En un pueblo del Levante, en Benisol. No tengo teléfono: estoy en un camping... Pero necesito urgentemente hablar contigo. Te voy a llamar más tarde, sobre las 10h".

"Quizá esté de viaje, trabajando o de vacaciones", piensa preocupado Jaime.

A las 10h vuelve a llamar. Por suerte, ahora sí está en casa.

-¿Diga? -responde Fernando.

-Fernandito, hombre, ¿qué tal estás?

-¡Jaime! ¿Cómo te va? He oído tu mensaje. Acabo de llegar. ¿Qué haces en España?

-Pues mira, aquí, de vacaciones.

-Pero si a ti no te gusta la playa... ¿Qué haces en Levante?

-Pues no sé, la verdad... Estoy con unos amigos. Bueno, no

está tan mal. Es un sitio bonito y bastante tranquilo...

-Oye, ¿nos vamos a ver o qué? Yo empiezo las vacaciones pasado mañana.

-Tengo trabajo para ti.

-¿Qué? ¿Trabajo? Ni hablar. Te digo que pasado mañana empiezo las vacaciones. Hoy es 31 de julio, ¿no? ¡¡Va-ca-cio-nes!!! Que este año he trabajado mucho...

-Pues tengo un caso muy interesante. Un reportaje sobre la especulación inmobiliaria en la costa: métodos mafiosos, amenazas de muerte, etc., etc. Además, es una zona ecológicamente protegida...

-¿Ah, sí? -dice Fernando ya un poco más interesado.

-¡Qué pena! Era un caso para ti, Fernando. Quizá le interese a algún periodista de "*El Globo*". ¿Qué vas a hacer estas vacaciones?

-Bueno, no tengo un plan muy fijo. Ver a la familia, que está en el norte, en Santander, como todos los veranos. Luego quiero visitar a unos amigos en Galicia...

-Pues nada, hombre: vienes a Benisol, trabajas un par de días y, luego, te quedas de vacaciones con nosotros.

-No me gusta el Mediterráneo. Hay demasiada gente y el mar está demasiado caliente.

-¡Tonterías! Esto de aquí es muy bonito. Claro que no va serlo si contruyen 500 apartamentos más...

-Vaaaaale, Jaime, voy. ¡Cuando tú quieres algo...! Explícame exactamente dónde está ese maldito pueblo.

-¿En qué vas a venir?

-En moto.

-Perfecto. Mira, esto está a unos 60 kilómetros de Castellón.

-Bueno, lo voy a mirar en un mapa. ¿Me buscas una habitación? Yo, de camping, nada, ¿eh?

-Claro, te busco una habitación en un hotel. ¿De cuántas estrellas?

-Mínimo cuatro, por favor -responde irónicamente Fernando.

-¿Cuándo vas a llegar? ¿Mañana?

-No, mañana no puedo. Imposible. Tengo que dejar unas cosas terminadas en la revista. Pasado mañana, si salgo de aquí a las 8h o a las 9h, puedo estar en Benisol a la hora de comer. ¿Dónde nos encontramos?

-A ver... Lo más fácil: yo voy ahora a buscarte habitación. Mañana por la tarde te llamo, te digo dónde te vas a alojar y quedamos en tu hotel.

-Perfecto. Hasta mañana.

* * *

Al día siguiente por la mañana, Jaime va a ver a Alba a la recepción.

-¡Viene mañana! Va a llegar a la hora de comer -dice Jaime al entrar en la recepción.

-¡Qué bien!

-Tenemos que buscarle hotel y llamarle a Madrid.

-No va a ser fácil. Estamos en temporada alta. Voy a llamar al Hotel Panorama... -responde Alba ya marcando-. A ver... Seis, uno, cuatro, ocho, cinco, seis.

-Hotel Panorama, dígame.

-Sí, mira... Soy Alba Gaviria, del Camping Mediterráneo.

-Hola, Alba. Soy Silvia.

-Ah, hola, Silvia, qué tal. No te había reconocido. Quisiera reservar una habitación para un amigo. ¿Tenéis habitaciones libres?

-¿Qué días?

-A partir de mañana. Llega al mediodía.

-Huy, no, lo tengo fatal. Está todo completo. Hasta el día 22 de agosto no tengo nada... Nada de nada. Ni una habitación. Lo siento mucho, chica.

-Bueno, no te preocupes. Oye, ¿qué tal está el Hotel Bahía?

-Dicen que está bien. No es un hotel de lujo, es un tres

estrellas, pero no está mal. Tiene piscina y jardín. ¿Tienes el número de teléfono?

-Sí, por aquí lo tengo. Voy a llamar.

-También puedes preguntar en el Hotel Malibú. Es más caro pero está muy bien.

* * *

Alba llama a cinco hoteles. En agosto todo está completo en Benisol. Finalmente, en el Hostal Rosita, tienen una habitación para Fernando. Es una pensión muy barata en una calle ruidosa del centro de Benisol. La misma Rosita, la propietaria, atiende en la recepción.

-Sí, sí, tenemos una habitación -dice Rosita al teléfono-. Pero no tiene baño.

-No importa, me la reserva -Alba ya está un poco desesperada.

-La pensión completa cuesta 2.300 pesetas al día por persona -explica Rosita.

-Sólo queremos la habitación. Sin comidas.

-Ah, no. Sólo tenemos pensión completa.

-Bueno, pues pensión completa, de acuerdo.

-¿A qué nombre hago la reserva?

-Fernando Valcárcel.

-Vale. Tomo nota, Fernando Valcárcel. ¿Para cuántos días?

-Todavía no lo sé. Una semana o algo así.

Alba cuelga el teléfono y dice:

-¡Por fin! ¡Tenemos una habitación para tu amigo en el Hostal Rosita! Pero no sé si le va a gustar mucho. El Hostal Rosita no es el Hotel Palace. Y está al lado de una discoteca.

-No importa -dice Jaime.

-Yo mañana por la tarde he quedado con Vicente Gil -explica Alba-. Es el alcalde. Es un hombre muy honesto. Quiero hablar de todo esto con él.

-Fenomenal. ¿A qué hora?
-A las ocho.
-Así que mañana no vas a correr.
-No. Tengo que hablar con Gil. Todavía podemos salvar Benisol.
-Sí, no es demasiado tarde.
-Hoy mi tío ha recibido un nuevo anónimo.
-¿Otro? ¿Y qué dice?
-Mira -dice Alba enseñándole una nota.

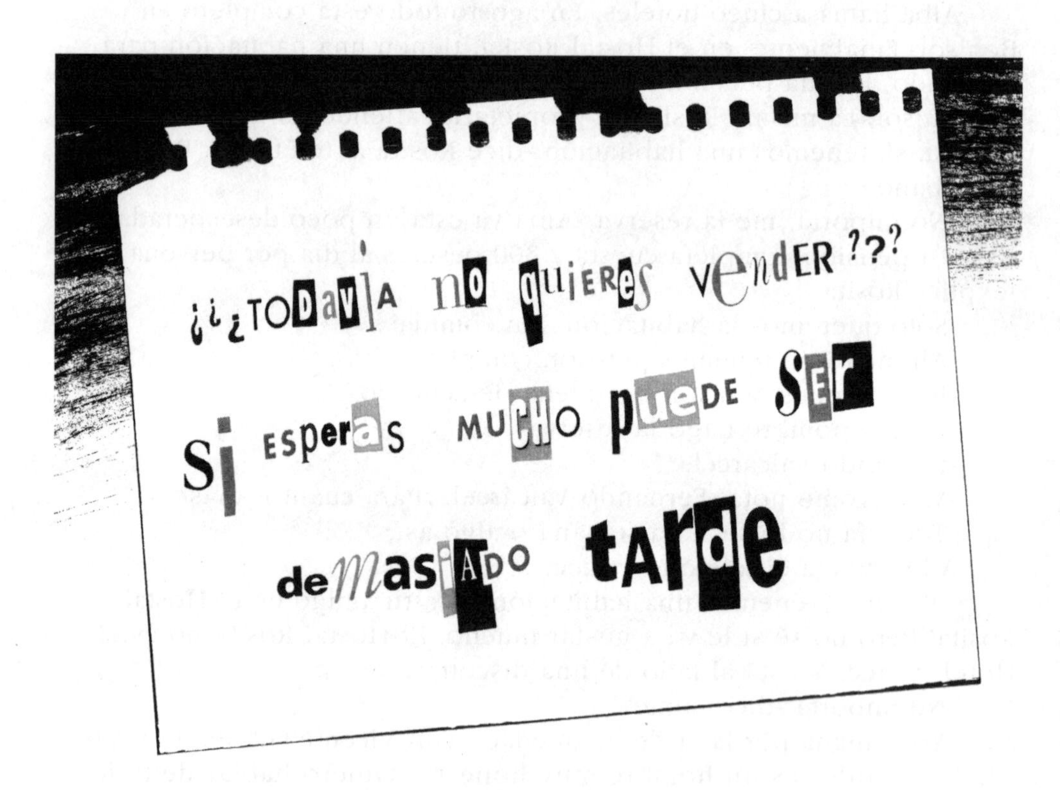

- ¿Y qué dice tu tío? -pregunta Jaime.

-Está muy preocupado pero no hace nada. Y no quiere hacer nada. ¿A qué hora nos vemos mañana? Tengo ganas de conocer a tu amigo el periodista.

-Pues después de tu cita con el alcalde.

-Muy bien. Pero no aquí en el camping. Mejor en el pueblo. Hay que ser discretos.

-¿Dónde?

-Hay un bar en el Paseo del Mar, que se llama "Paquito". Podemos tomar algo allí. Hacen un pescadito frito buenísimo. El mejor de la zona. ¡Y unos calamares...!

-Pues mañana a las 10h en "Paquito".

-O.K.

Los dos empiezan a hablar como en una película policíaca.

* * *

Cuando Jaime se va, Ibarra sale de su despacho.

-Ah, estás ahí... -dice Alba sorprendida.

-Sí, claro, en mi despacho. Veo que tienes buenos amigos entre los clientes...

-Sí -responde secamente Alba. Lo que significa "a ti qué te importa"-. Voy a Correos y al banco -añade, y se va.

"No lo soporto", piensa.

Después, Ibarra llama por teléfono.

-El Sr. Duque, por favor.

-Está reunido. ¿De parte de quién? -contesta una secretaria.

-De José Luis Ibarra.

-Espere un momento, a ver si le puedo pasar.

Luego se oye la voz de Duque.

-Hombre, José Luis, ¿cómo te va?

-Creo que vamos a tener problemas.

-¿Problemas? ¿Qué problemas?

-La "niña" ésta, la sobrina de Gaviria... Tiene una cita con el alcalde, y espera a un periodista de Madrid...

-Ah, ¿sí?

CAPÍTULO 9

En la Plaza Mayor de Benisol, en verano, algunos artesanos venden sus productos en un "mercadillo": bolsos, pendientes, pañuelos, juguetes... Algunos turistas pasean y otros toman helados en la terraza de un bar, debajo de unas palmeras. El Ayuntamiento de Benisol está en la Plaza Mayor, en un viejo edificio del siglo XIX, en bastante mal estado.

Son las ocho de la tarde pero todavía hace calor. Vicente Gil, el alcalde, trabaja cada día hasta muy tarde.

-Luego dicen que los funcionarios no trabajan -dice Alba cuando entra. Vicente es amigo suyo y también su ex-profesor. Fue su profesor de historia en el Instituto, cuando Alba tenía 17 años. Desde entonces son buenos amigos.

Hace algunos años, un grupo de profesores e intelectuales se presentaron a la elecciones municipales, como independientes. Querían luchar contra la especulación. Y... ¡sorpresa!: ganaron las elecciones. Ahora Vicente es el alcalde de Benisol. No es brillante pero es eficaz. Es un alcalde trabajador y honesto. Y eso que no es fácil en un pueblo turístico, donde siempre han mandado personajes como Duque. Naturalmente, a Gil no le quieren mucho algunos en Benisol. Duque, por ejemplo.

Gil va cada día a trabajar en bicicleta y escribe poemas. Duque va diciendo por ahí que es un loco, que Benisol puede ser más grande que Benidorm, y que así habría trabajo para todos.

-¿Qué tal, Alba? Te veo muy bien... -dice Vicente al verla entrar.

-Pues no estoy tan bien.

-¿Qué pasa?

-Tengo un problema gordo.

-¿Tú también? Yo tengo varios "problemas gordos" -dice él riendo.

Y es verdad: Gil tiene bastantes problemas. Benisol ha crecido mucho en los últimos años. Tiene 4.800 habitantes y faltan servicios. Se necesitan más zonas verdes, más plazas de guardería y más semáforos. En invierno, cuando no hay turistas, el índice de paro es muy alto. Este verano, la delincuencia ha aumentado mucho, por culpa de las drogas. Últimamente, un grupo de "cabezas rapadas" crea graves problemas en las discotecas.

Y, el problema número uno: la lucha por conservar Benisol y sus alrededores, ya bastante degradados. Ahora, por ejemplo, el Ayuntamiento quiere crear una zona peatonal en el centro, pero algunos comerciantes no quieren. Dicen que están en crisis por culpa de un nuevo centro comercial, que está en las afueras. El Ayuntamiento tiene poco dinero, poco personal y pocos recursos. Además, como son independientes, no les ayuda ningún partido político.

-Cuéntame tu problema. Los míos son muy aburridos... ¿Puedo hacer algo yo? -pregunta el alcalde a Alba.

-Sí, y mucho. ¿Qué sabes tú de un complejo turístico nuevo? En Playa Larga, al lado del camping.

- Duque y compañía han presentado un proyecto y han pedido permisos de construcción. Nuestros técnicos lo están estudiando.

-¿Estudiando? Es una locura, una barbaridad... ¡Van a destruir Benisol!

-Sí, Alba, ya sé que es muy grave. Pero no es tan fácil: hay unos planes urbanos, hay unas leyes... Según el plan urbano actual, parece que necesitan más espacio. Les faltan algunas hectáreas. Además, está el tema ecológico... Pero como tienen mucho dinero para invertir...

-Les hace falta el Camping Mediterráneo.

-Sí, claro. Ellos dicen que se lo vais a vender. ¿Es verdad? Dicen que estáis negociando...

-¿Negociando? ¡Qué va! Nos están amenazando. Y no sabemos qué hacer. Por eso quería hablar contigo.

-Pues si hay amenazas, hay que hablar con la policía -dice Gil-. Y con el juez.

-¿Con la policía? ¿Con Gomis? -pregunta Alba-. ¿Confías en él?

Gomis es el comisario de policía de Benisol. A Alba no le gusta mucho.

-No es mala persona -comenta Vicente-. Es un poco antipático, un poco bruto...

-¿No le pueden comprar Duque y los otros? ¡Son auténticos mafiosos!

-Sí, lo sé... Pero no. Gomis es un hombre recto. No se deja comprar. Si quieres, yo hablo con él. Pero antes explícame exactamente qué pasa...

Alba le explica a Vicente Gil toda la historia: la negativa de su tío a vender el camping, las cartas anónimas, la contratación de la nueva recepcionista, el papel ambiguo de Ibarra y la llegada del periodista de Madrid.

Alba sale del Ayuntamiento más animada y más tranquila. Parece que su amigo Gil no quiere el proyecto de Duque para Benisol y está intentando pararlo. Por otra parte, Alba y el alcalde han decidido ponerse en contacto con Gomis, el comisario de policía, y denunciar las amenazas de Duque y sus compinches. "Hay que ser optimista", piensa.

Empieza a andar hacia el puerto. Allí, en "Paquito", la esperan Jaime y su amigo, el periodista de Madrid, Fernando Valcárcel. Un artículo en una revista nacional como *"Entrevista"* puede ser importante y suponer el empuje definitivo para salvar la costa de Benisol.

CAPÍTULO 10

Es casi de noche y hace un poco de viento. Un viento fresco y agradable, que huele a mar. Alba entra en una calle estrecha del barrio viejo, la calle Mistral. Es una calle en la que no hay muchas tiendas y no pasa mucha gente. De pronto, del portal del número 17, salen dos hombres. Tienen un aspecto muy peligroso y uno tiene, además, cara de boxeador. Alba no tiene tiempo de ver nada más. En la espalda siente algo duro y frío. "Una pistola", piensa. Nunca ha tenido una pistola en la espalda pero lo ha visto en las películas.

-Quieta y callada -dice el de cara de boxeador, que la coge fuerte del brazo.

"Estos trabajan para Duque", piensa Alba muerta de miedo.

Muy deprisa, la llevan al puerto y la meten en un coche deportivo amarillo. Después, nota un pequeño pinchazo en el brazo. "Me están drogando", piensa. Luego, siente una terrible sensación de sueño. Ya no tiene miedo. Sólo quiere una cosa: dormir.

El coche con los dos hombres y Alba dormida se pone en marcha. Pasa por el Paseo del Mar, y por delante de "Paquito", el bar en el que Jaime y Fernando esperan a Alba. Luego, giran a la derecha, siguen de frente hasta el final, por una avenida. Giran otra vez y entran en la calle Manuel de Falla. Allí, delante del número 67, el coche deportivo

amarillo se para. Uno de los hombres baja y abre la puerta de un garage. El otro entra llevando a Alba en brazos. Luego, la calle se queda en silencio. Sólo pasa una señora mayor, una viejecita. Pero Alba no ve nada. Está durmiendo como un bebé.

La viejecita es la abuela de los Martínez.

* * *

Fernando llega a Benisol a las 15h. Jaime le espera en el Hostal Rosita.

-Lo siento, no hay ni una habitación libre en todo Benisol. Sólo he encontrado esto. Si quieres venir con nosotros al camping... En la autocaravana hay una cama libre...

-No, no, voy a estar bien aquí -dice Fernando muy diplomático.

Dejan la bolsa de viaje en el hostal y van al camping.

Los amigos de Jaime están sentados delante de la tienda de campaña. Jaime les presenta a su viejo amigo Fernando.

-Éste es Fernando -dice Jaime.

-Hola, ¿qué tal? Jaime nos ha hablado mucho de ti.

-Hola, ¿qué tal?

-¿Queréis tomar algo? -pregunta Martha-. ¿Una cerveza?

-Bueno, pero pequeña, ¿eh? -acepta Fernando-. Con este calor...

-¿Qué tal el viaje? -pregunta Eduardo.

-Bien, muy bien, sin problema. No había mucho tráfico. Y, además, en moto es muy agradable.

En ese momento pasa por ahí Martínez, el vecino.

-¿Qué tal? ¿Cómo vamos? -dice.

-Hola, Martínez, ¿qué tal? Mira, te presento a un amigo de Madrid, Fernando.

-Hombre, madrileño, como nosotros...

Martínez siempre tiene ganas de hablar. Martha dice que les visita

para descansar de su familia. De la abuela y de los cuatro niños.

-¿Una cerveza fresquita, Martínez? -le ofrece Eduardo.

Martínez la acepta rápidamente y se sienta.

Jaime se pone un poco nervioso. Quiere explicar el problema de Alba a Fernando. Pero Fernando está feliz, con sus nuevos amigos y su cerveza.

-Oye, pues es bonito esto. Yo no conocía esta zona -dice.

-Está muy bien -explica Martínez-. Es un camping tranquilo, nada ruidoso, con el mar al lado. Y no es caro... Y en el camping está uno como en casa: tu nevera, tu habitación, tu cocina, tu tele... ¡Hasta el microondas hemos traído este verano!

Y es que la caravana y las tiendas de los Martínez son realmente como una casa. Muebles, electrodomésticos... La abuela ha puesto incluso unos geranios en la ventana de la caravana.

-Tengo una idea... -dice por fin Martínez-. ¿Por qué no venís mañana a comer una paella? Os la debo. Así conocemos mejor a vuestro amigo... Fernando te llamas, ¿verdad?

-Sí, Fernando.

-Ay, qué pena la del otro día... -suspira Martínez pensando en su paella-. ¡Cómo olía! La mejor de mi vida...

-Es que Martínez es especialista en paellas, ¿sabes? -explica Jaime-. Hace unas paellas riquísimas.

-No como las de los restaurantes -añade Martínez.

Fernando mira extrañado a Martínez, que se ha puesto de pronto muy triste, y a Martha, que casi no puede controlar la risa.

Luego, aparecen Sófocles y Sócrates. El gato y el perro se han hecho muy amigos y son inseparables.

Martínez les mira con odio pero no dice nada.

* * *

A las 10h Jaime y su amigo Fernando, el periodista, llegan a "Paquito", el bar del puerto donde han quedado con Alba.

-¿Qué van tomar? -pregunta el camarero.

-Yo una caña, ¿y tú?

-Yo otra.

-Dos cervezas... ¿Algo para picar? Calamares, anchoas, pescadito, gambas, pulpo, patatas bravas... -vuelve a preguntar el camarero.

-¿Una de pescadito? -sugiere Jaime.

-Vale, y unos calamares.

-¡Marchando una de calamares y una de pescadito! -grita el camarero a la cocina.

Los dos viejos amigos tienen muchas cosas de que hablar. Hace dos años que no se ven.

A las 10.45h se dan cuenta de que es tarde.

-¡Qué raro! Llega muy tarde tu amiga, ¿no? -pregunta Fernando.

-Sí, es un poco extraño.

Toman dos cervezas más y esperan. Jaime está ya un poco nervioso.

A las 11h empieza a pensar que ha pasado algo.

-No puede ser. Es una chica muy seria, muy formal. Nunca llega tarde -le explica a Fernando-.Vamos al camping. A lo mejor nos hemos entendido mal -propone luego.

CAPÍTULO 11

A las 11.20h Fernando y Jaime salen hacia el camping en la moto de Fernando.

Primero, Fernando va al bar. Allí habla con Mario, con Manolo y con Concha.

-No, Alba no ha venido por aquí. No la hemos visto... -explica Concha.

-A mí me ha dicho que tenía cosas que hacer en el pueblo, en Benisol -añade Manolo.

-Mario, ¿tú has visto a Alba? -pregunta Concha al cocinero, que sale de la cocina.

-No, no la he visto. ¡Si no he salido de la cocina en todo el santo día...! ¿Por qué?

Luego la buscan en la recepción. Ibarra ya se ha ido. En la oficina sólo está Milagros, la señora de la limpieza.

-¿Alba? No, no, por aquí no ha venido -explica ella-. ¿Pasa algo? -pregunta.

-No, no, nada. Quería hablar con ella -miente Jaime.

Preguntan también a Enriqueta, la de la tienda, a Chus y a Tere, las peluqueras, a "Chapuzas"... Pero nadie la ha visto.

Finalmente, van a casa de Antonio Gaviria, el tío de Alba.

-Antes de salir, me ha dicho que tenía una cita con un amigo y con un periodista -explica el tío.

-Sí, con nosotros...

-¡Esta chica! Siempre se busca problemas... ¿Dónde estará? -suspira Gaviria, preocupado.

* * *

A las 12h Jaime y Fernando salen de casa de Gaviria.

-¿Qué hacemos? -pregunta Fernando.

-No sé... Esperar un poco. Vamos a nuestra caravana y tomamos algo -propone Jaime.

Pasan por delante de las tiendas de la familia Martínez.

-Buenas noches -les saludan los Martínez.

-Oiga, joven... ¿Ya está mejor su amiga? -pregunta de pronto la abuela Martínez.

Jaime no entiende la pregunta.

-¿Cómo dice? -pregunta sorprendido.

-Qué cómo está su amiga -vuelve a decir la abuela-. Alba

se llama, ¿no? Es que esta tarde no estaba muy bien, creo.

-¿Cómo? ¿Por qué lo dice, abuela? -pregunta Jaime nervioso-. ¿Qué ha visto? Cuéntenos...

-No, pues nada... Esta tarde he ido al pueblo con mis hijos.

-Sí, hemos ido de compras -explica la señora Martínez.

-Y hemos dado una vuelta por el pueblo -añade la hija.

-Y nos hemos comido un helado -dice el pequeño.

-Y la abuela se ha perdido -explica otro de los niños.

-¡Niños, dejad hablar a la abuela! Siga explicando, abuela -dice Martínez, impaciente.

Todos sospechan que la abuela va a explicar algo importante. Todos callan y la escuchan.

-Pues iba yo con mis hijos paseando tranquilamente... Y, de pronto, se han perdido... Eran las nueve y media o algo así...

-Se ha perdido usted, abuela -dice Maruja.

-Bueno, no importa -sigue la abuela-. Entonces, estaba yo buscándoles y he seguido por una calle. ¿Cómo se llamaba esa calle...? Era el nombre de un músico... ¿Verdi? ¿Bethoven? No... Déjame pensar... Era un músico español...

-Iba usted por una calle, ¿y qué? -pregunta Jaime impaciente.

-Iba yo paseando, mirando... Y de pronto, se ha parado un coche. Un coche amarillo, de ésos que van muy rápido y que sólo tienen dos asientos...

-Un deportivo -dice la niña.

-Eso -confirma la abuela-. Y del coche ha bajado un hombre. Muy feo, muy feo, feísimo... Alto y feo. Yo he pensado: "Igual de feo que el tío Ramiro el de Villaendrina". Se parecía a...

-Siga, abuela -insiste Martínez.

-Bueno... Pues, luego ha bajado otro hombre. Éste no era tan feo como el otro...

-¿Y...? -todos le piden que continúe su historia.

-No había nadie en la calle. Bueno, sólo yo, que pasaba por allí. Y los hombres del coche, claro -explica la anciana.

Todos la escuchan en silencio.

-Entonces uno de ellos, el feo, ha sacado en brazos a una chica. La chica estaba enferma, creo yo. O estaba dormida, no sé... Yo la he visto y de pronto digo: "¡Anda, pero si es Alba, la del camping! ¿Qué le debe pasar?" Pero no les he dicho nada. La cuidaban los dos hombres muy bien. Han entrado en un edificio y yo he seguido buscando a mi familia. Los he encontrado comiendo unos helados en una heladería, tan felices...

-¡Abuela, por favor! Pero... ¿por qué no nos lo ha explicado antes todo esto? -dice enfadada con su suegra la señora Martínez.

-¿Por qué? ¿Pasa algo? ¿Es importante?

* * *

En unos minutos todo el camping sabe que pasa algo grave, que Alba está en peligro. "Han secuestrado a Alba" es la frase que se repite entre empleados y clientes.

Gaviria llama a Vicente Gil, el alcalde, y a Gomis, el comisario de policía. Pero Fernando, Jaime y los demás actúan más rápido que la policía...

-Abuela, ¿ha montado usted en moto alguna vez? -le pregunta Fernando a la abuela Martínez.

-Claro. Mi marido tenía una moto cuando éramos novios.

-Pues, suba. Vamos a buscar esa calle. Jaime, ¿tú vienes en coche con Martínez?

-Yo también voy -dice Chapuzas.

-Y yo -añade Mario, el cocinero.

Todos en el camping quieren buscar a Alba.

Incluso los Jensen, en sus bicicletas, salen hacia el pueblo.

Uwe sube al coche de Chus. Con ellos van Sócrates y Sófocles. Salen, a toda velocidad, detrás de la moto de Fernando, hacia Benisol.

* * *

Mientras, en la calle Manuel de Falla, Alba empieza a despertarse. Le duele la cabeza y no sabe dónde está.

-¿Qué pasa? ¿Dónde estoy? ¿Quiénes sois vosotros? -pregunta confusa.

-Tranquila, guapa. No pasa nada. Sólo has dormido una pequeña siesta -dice el feo y ríe su propio chiste.

El feo es "El Ardilla", un conocido "gorila" de Benisol. Trabaja en la entrada de la discoteca "Galaxia", la más importante del pueblo. La discoteca es uno de los negocios de Duque.

-¿Qué queréis de mí? -pregunta Alba.

-De ti nada, monada -responde el otro hombre.

-Sólo queremos darle un pequeño mensaje a tu tío querido -dice "El Ardilla".

-Hay un señor que quiere decirle una cosa: que ese camping no es un buen negocio, que es un negocio demasiado peligroso... ¡Hay negocios mucho mejores! Nuestro jefe sabe mucho de negocios.

-Y ahora quédate aquí tranquilita, nosotros vamos a volver mañana por la mañana... Ah, no vive nadie en este edificio. Así que no vale la pena gritar -dice el feo.

Salen y cierran la puerta con llave.

Alba empieza a llorar. Tiene hambre y sed, y le duele una rodilla. Tiene sangre en la pierna. Seguramente se ha caído durante el secuestro.

* * *

Mientras, una abuela y un joven periodista dan vueltas en moto por Benisol.

-¿Es esta calle, abuela? -pregunta Fernando por décima vez.

-A ver... No, me parece que no. La calle ésa era más estrecha. Y no tenía árboles. Ni tanta luz.

Todo el grupo de amigos han decidido registrar todo Benisol, hasta encontrar a Alba.

Preguntan en los bares, en las tiendas. Pero nada, ni rastro. Nadie ha visto a Alba. Sólo la abuela Martínez y sus secuestradores.

-¿Qué hora es? -pregunta Fernando cuando se encuenta con Jaime y Martínez.

-Las 2h -dice Jaime.

-¿Qué hacemos? ¿Seguimos?

-Yo sí. Esa gente es muy peligrosa.

-Sí, ya lo veo -confirma Fernando.

-Y tú vas a tener un buen artículo para tu revista, una buena exclusiva -dice Jaime con tristeza.

-Venga, ánimo, Jaime. La vamos a encontrar -le dice. Fernando le conoce bien y adivina los sentimientos de su amigo-. Te gusta mucho esa chica, ¿verdad? -le pregunta.

-Sí, creo que sí -confiesa Jaime-. Es una mujer especial. Últimamente estaba un poco deprimido, ¿sabes? Me sentía solo. Pero desde el día en que la conocí...

-Dios mío, ¡qué mala suerte!: una vez que Jaime se enamora y nos secuestran a la chica -dice Fernando tratando de quitar dramatismo a la situación.

* * *

De pronto, Sócrates, el nuevo perro de Uwe, entra corriendo en la pequeña y oscura calle donde están Jaime y Fernando. Detrás van Sófocles, Uwe y Chus.

- ¡Sócrates! ¿A dónde vas? -grita Chus.

Sócrates se para delante de una puerta. Empieza a olerlo todo y a ladrar muy fuerte. Guau, guau, guau... No para de ladrar delante del número 67, un edificio gris de tres plantas, que parece abandonado.

-¿Cómo se llama esta calle? -pregunta Fernando.

-Manuel de Falla -explica Chus.

-¡Un músico español! -gritan Fernando y Eduardo al mismo tiempo.

-¡Sócrates la ha olido!

-¡Alba está ahí dentro! ¡Hay que abrir esa puerta! ¡Albaaaaa! -grita angustiado Jaime.

-Mira, hay sangre en el suelo -dice Chus-. Puede estar herida.

-Pues esta calle no me suena nada -dice la abuela Martínez-. ¡Esta cabeza mía...!

La policía llega enseguida y no es difícil tirar la puerta. También viene en unos minutos una ambulancia. Pero Alba está bien, asustada pero bien. Sólo tiene una pequeña herida en la rodilla.

Poco a poco, delante del número 67, se reúne mucha gente: están todos los compañeros del camping, algunos clientes como los Jensen, Gil, el alcalde...

Alba tiene que acompañar a Gomis, el comisario de policía.

* * *

Al día siguiente todos están ya más tranquilos.

-La policía ha detenido esta madrugada a "El Ardilla", en la discoteca -explica Alba a Fernando y a Jaime-. Además, hay muchas pruebas contra Duque. Dice Gomis que se puede demostrar que él está detrás de todo.

-Esperemos -dice Antonio Gaviria.

-Y ahora, lo siento, pero yo he venido a trabajar -dice Fernando sacando un pequeño "walkman".

-Oh, no...

-¡Esto va a ser una artículo impresionante! Explíquenos, ¿cómo empezó todo? -le pregunta Fernando a Gaviria con voz de locutor de la televisión.

Todo el mundo, con el secuestro de Alba, conoce ya los planes de Duque: la construcción del nuevo complejo turístico en los terrenos del camping. También saben de los problemas del Ayuntamiento para impedirlo. En el bar del camping, se reúnen unas 60 personas.

Enriqueta, la del supermercado, se ha convertido en el líder de la movilización:

-Hay que hacer algo. ¡Esto no puede ser! -grita Enriqueta a los reunidos-. ¡Tenemos que luchar y defender el camping!

-Sí, señor, bien dicho -grita Martínez, que está en primera fila.

Hasta la señora Bibiana y su marido participan.

-Podemos escribir a todos los periódicos y hablar con las cadenas de televisión -propone un cliente.

-Eso, eso... ¡Publicidad! ¡Todo el mundo tiene que saber qué pasa en Benisol! -dice Mario, el cocinero.

-¡Abajo la especulación capitalista! -grita de pronto la abuela Martínez- Es que mi padre era anarquista, cuando la guerra, ¿sabe usted? -le explica a un señor que está a su lado.

Al final, después de mucha discusión, deciden organizar una manifestación, en defensa de la conservación de la costa de Benisol.

* * *

Al día siguiente, Jaime va a buscar a Alba a la recepción.

-Esto no ha terminado -dice Alba-. Van a intentarlo otra vez, dentro de un tiempo. Esta gente es muy peligrosa. Sólo les interesa ganar dinero rápido.

-Sí, pero de momento... La gente de Benisol está informada. Van a luchar.

-Eso espero. Quizá podamos estar un tiempo tranquilos. ¿Vienes a la playa a dar un paseo? Hace mucho calor, ¿no?

-¿Y tu tesis?

-Después. Necesito descansar un poco.

-Sí, han sido unos días muy intensos... -responde Jaime pensando en sus propios sentimientos.

-Muy intensos -dice Alba con una sonrisa cómplice.

-¡Qué romántico! -dice Chus, la peluquera, que los ve pasar-. No hay nada como el amor. ¿Verdad, Uwe?

Novedades

CUBA

GUANTANAMERAS. Nivel 2
D. Soler-Espiauba, 54 págs. ISBN 84-89344-39-6

Lisa y Priscilla son dos hermanas gemelas que viven separadas desde que eran pequeñas. Lisa vive en La Habana con su padre y, Priscilla en Miami con su madre. Tras 18 años sin verse, se reencuentran para celebrar su cumpleaños en Guantánamo, la ciudad donde nacieron. Juntas por las calles de La Habana, descubren las diferencia culturales, políticas y los estilos de vida de Cuba y los Estados Unidos.

MÉXICO

UN TAXI HACIA COYOACÁN. Nivel 3
D. Soler-Espiauba, 47 págs. ISBN 84-89344-40-X

La pasión hacia la obra y la persona de Frida Kahlo, famosa pintora mexicana, empuja a David a viajar hasta Ciudad de México para hacer realidad su mayor deseo: visitar su casa-museo. Además de verlo cumplido, se encontrará con otras sorpresas.

ECUADOR

MÁS CONCHAS QUE UN GALÁPAGO. Nivel 3
D. Soler-Espiauba, 52 págs. ISBN 84-89344-41-8

Macarena es seleccionada de entre un grupo de científicos para viajar hasta las Galápagos a trabajar como guía turístico. Una vez allí no logra llevar a cabo sus estudios sobre la fauna y flora de la isla debido al enredo en el que se ve metida.

CHILE

MIRTA Y EL VIEJO SEÑOR. Nivel 3
D. Soler-Espiauba, 62 págs. ISBN 84-89344-42-6

Mirta viaja hasta Madrid huyendo de su propia historia. A la vez que estudia, vive en casa de un anciano viudo, al que cuida. Su estancia en Madrid le ayuda a aclarar las dudas de su pasado y a afrontar el presente.

ARGENTINA

LA VIDA ES UN TANGO. Nivel 3
D. Soler-Espiauba, 44 págs. ISBN 84-89344-43-4

Liliana ve interrumpido su monótono trabajo de psicóloga al aparecer un paciente con una extraña proposición: sustituir a su hermana desaparecida por razones políticas muchos años atrás. Sin ella saberlo, esta visita la introducirá por un laberinto de problemas por las calles de Buenos Aires.

Venga a leer

Nivel 0

SERIE "LOLA LAGO, DETECTIVE"

- *Vacaciones al sol*, 48 págs. ISBN 84-87099-71-8

SERIE "PLAZA MAYOR,1"

- *Los reyes magos*, 48 págs. ISBN 84-87099-70-X

Nivel 1

SERIE "LOLA LAGO, DETECTIVE"

- *Poderoso caballero*, 58 págs. ISBN 84-87099-31-9
- *Por amor al arte*, 68 págs. ISBN 84-87099-28-9
- *Una nota falsa*, 48 págs. ISBN 84-87099-73-4

SERIE "PLAZA MAYOR,1"

- *El vecino del quinto*, 56 págs. ISBN 84-87099-06-8
- *Reunión de vecinos*, 64 págs. ISBN 84-87099-72-6

SERIE "HOTEL VERAMAR1"

- *...Pero se casan con las morenas*, 48 págs. ISBN 84-87099-83-1

Nivel 2

SERIE "LOLA LAGO, DETECTIVE"

- *La llamada de La Habana*, 48 págs. ISBN 84-87099-11-4
- *Lejos de casa*, 48 págs. ISBN 84-87099-74-2

SERIE "PLAZA MAYOR,1"

- *El cartero no siempre llama dos veces*, 72 págs. ISBN 84-87099-12-2

SERIE "PRIMERA PLANA"

- *Vuelo 505 con destino a Caracas*, 80 págs. ISBN 84-87099-10-6

SERIE "HOTEL VERAMAR"

- *Moros y cristianos*, 48 págs. ISBN 84-87099-84-X
- *Más se perdió en Cuba*, 48 págs. ISBN 84-87099-82-3

Nivel 3

SERIE "LOLA LAGO, DETECTIVE"

- *¿Eres tú, María?*, 56 págs. ISBN 84-87099-04-1

SERIE "AIRES DE FIESTA"

- *De fiesta en invierno*, 48 págs. ISBN 84-87099-95-5
- *De fiesta en primavera*, 48 págs. ISBN 84-87099-97-1
- *De fiesta en verano*, 48 págs. ISBN 84-87099-96-3
- *De fiesta en otoño*, 40 págs. ISBN 84-87099-05-1

Nivel 4

SERIE "ALMACENES LA ESPAÑOLA"

- *Una etiqueta olvidada*, 38 págs. ISBN 84-87099-20-3
- *Transporte interno*, 38 págs. ISBN 84-87099-21-1

SERIE "HOTEL VERAMAR"

- *Ladrón de guante blanco*, 56 págs. ISBN 84-87099-01-7

Nivel 5

SERIE "HOTEL VERAMAR"

- *Doce rosas para Rosa*, 56 págs. ISBN 84-87099-05-X